KARL MARX

L'Opium du peuple

Introduction
de *Contribution à la critique*
de la philosophie du droit de Hegel

Édition établie, annotée et postfacée par
Cyril Morana

Traduction de l'allemand par
Jules Molitor

Cou
Olivi

ÉDITIONS MILLE ET UNE NUITS

KARL MARX
n° 617

Texte intégral

Zur Kritik der Hegelschen Rechtsphilosophie. Einleitung, paru dans la revue *Deutsch-Französische Jahrbücher,* Paris, février 1844. Texte écrit à la fin de l'année 1843 et en janvier 1844 à Paris.

Karl Marx, « Introduction », *Contribution à la critique de la philosophie du droit de Hegel,* in *Œuvres complètes,* tome 1, traduction de Jules Molitor, Paris, éditions A. Costes, 1946, pp. 59-70.

Le titre de cette édition est celui de l'éditeur.

Notre adresse Internet : www.1001nuits.com

© Mille et une nuits, département de la Librairie Arthème Fayard,
mars 2013, pour la présente édition.
ISBN : 978-2-75550-706-5

Sommaire

Avant-propos
page 5

Karl Marx
L'Opium du peuple
Introduction
de *Contribution à la critique*
de la philosophie du droit de Hegel
page 11

Cyril Morana
Pour une critique du Ciel et de la terre
page 44

Vie de Karl Marx
page 56

Repères bibliographiques
page 60

Avant-propos

Nul penseur n'échappe aux méditations qui le précèdent ou dont il est le contemporain direct et, d'un certain point de vue, l'histoire des idées se présente assez volontiers comme une généalogie. L'investigation philosophique est le plus souvent une pensée qui s'inscrit dans un sillage ou qui va contre lui. À cet égard, Marx n'échappe pas à la règle, nous l'allons voir, mais, s'il a des maîtres à penser ou des figures qu'il affronte, il est également le produit d'une histoire politico-culturelle complexe dont il convient ici de présenter brièvement les grandes lignes.

Il faut remonter en premier lieu à la Réforme : le 31 octobre 1517, Luther fait placarder à la porte de l'église de Wittemberg une *Dispute sur la puissance des indulgences*, autrement désignée comme les « 95 thèses de Luther ». Il y dénonce la pratique croissante des indulgences par l'Église catholique romaine, laquelle cherche par ce biais à financer la construction de la basilique Saint-Pierre de Rome, et plus largement les abus dont elle s'est rendue responsable dans tout le Saint-Empire romain germanique. Par ce geste, Luther, théologien augustinien, déclenche un mouvement d'une ampleur sans précédent dans l'histoire occidentale : la Réforme protestante. Au nom de la foi, il s'en prend au clergé et à ses pouvoirs. Au-delà de cette contestation, la Réforme va ébranler toute l'organisation du pouvoir dans les principautés et royaumes germaniques : Le contemporain et ami de Luther, Philipp Melanchthon, théologien et juriste, son compagnon de route parmi les plus fidèles qui réaffirme à plusieurs reprises que le droit – tout le droit en ses diverses branches – relève du domaine séculier placé sous l'autorité civile du Prince. De nombreux princes électeurs et d'importantes cités germaniques passent à la réforme : ils se convertissent au luthérianisme et, dans un même geste, confisquent les biens de l'Église catholique. Ils revendiquent le droit d'établir dans leur État « libre » la religion luthérienne comme Église d'État. Après les répressions des révoltes protestantes qui s'ensuivent, notamment par l'Empereur, Charles-Quint, en 1555, la Paix d'Augsbourg prend acte des transformations produites par la Réforme. Les idées luthériennes sur le rapport entre le Royaume de ce monde et le Royaume du Ciel, entre le droit et la foi, est à la source non seulement d'une nouvelle théologie, mais aussi d'une nouvelle philosophie du droit et d'une nouvelle science politique. Progressivement, en effet, la doctrine des « Deux Glaives », selon laquelle le pouvoir spirituel est supérieur au pouvoir temporel, qui affirmait la compétence de l'Église dans les affaires séculières, cède le pas à celle des « Deux Royaumes » ou « Deux Règnes », le royaume du Ciel se distingue alors nettement du royaume terrestre, désormais de la compétence totale des Princes. Il reste à l'Église, qu'elle soit luthérienne ou catholique, l'unique responsabilité des âmes des fidèles, qui relève du domaine de la Grâce et de nul autre.

Le mouvement de sécularisation était lancé – dans l'Empire germanique et au-delà, dans toute l'Europe. Un profond changement s'opère, qui consiste en l'accélération du processus de construction d'États modernes, qui avec les siècles va tendre à éclipser le Saint-Empire : cet effacement progressif de l'emprise de la religion dans la vie allemande s'accompagne d'un renouveau de la réflexion philosophique, particulièrement net durant la période de l'*Aufklärung*, au XVIIIᵉ siècle. La pensée allemande est alors un point cardinal des Lumières, et les philosophes contemporains s'extasient sur la Révolution française, dont Marx sera également un admirateur.

En 1813, les États annexés par Napoléon après la soumission du dernier empereur du Saint-Empire sont libérés de l'occupation française suite à la défaite des troupes napoléoniennes à la bataille de Leipzig. Cette défaite est aussi, au fond, la défaite des idéaux révolutionnaires français, ce que certains conservateurs ne manquent pas de relever. En 1815, le Congrès de Vienne met en place la Confédération germanique (*Deutscher Bund*), qui compte alors trente-neuf États membres : trente-cinq principautés et quatre villes libres. Les deux puissances prépondérantes et rivales en sont l'Empire d'Autriche et la Prusse ; actifs au second plan, le royaume de Saxe et la Bavière, le Hanovre, les deux Hesse, lesquels disposent, avec quelques autres, de voix au Parlement de la Confédération, situé à Francfort. Celle-ci a un seul instrument de pouvoir commun : l'armée, conçue comme un ensemble de garnisons défensives contre la France ou tout mouvement révolutionnaire intérieur, comme celui de 1848 à venir. La situation politique de cette multitude d'États et d'entités politiques est des plus bigarrée : depuis 1814, quelques-uns d'entre eux sont devenus des monarchies constitutionnelles, abandonnant le droit divin et l'absolutisme ; d'autres, toutefois, font le chemin inverse, soit en conservant l'ancien modèle, soit en y revenant par un grand mouvement de restauration, comme le Royaume de Westphalie.

L'Autriche entend bien conserver son régime, avec ses assemblées provinciales de nobles, et elle s'emploie à bloquer toute velléité d'adopter un régime constitutionnel de la part de la Prusse, précédent qui l'obligerait à prendre acte d'une transformation des rapports de force politique au sein de la Confédération. Metternich, le comte diplomate et homme politique autrichien, est le maître d'œuvre de cette stratégie véritablement réactionnaire pour le compte de l'Empire d'Autriche. En 1819, c'est sous son égide qu'ont été promulgués dans toute la Confédération les décrets de Karlsbad, qui visent à contrer les idées libérales en soumettant la presse à la censure et les universités, ainsi que leurs professeurs, au contrôle d'agents des États aux pouvoirs étendus. Ce sont encore ces décrets qui oppriment l'expression de jeunes étudiants et journalistes tels que Marx ou Heine, parti bien avant lui de Prusse pour Paris. À cette époque, progressistes et réactionnaires s'affrontent en particulier autour de la question du droit, qui n'est que l'autre face de la question cruciale de l'organisation politique. Dans une Université de Berlin sous contrôle, le professeur Hegel s'efforce pendant près de quinze ans de proposer un cours sur les principes de la philosophie du droit qui marque durablement ses étudiants : il y tient, non sans une extrême prudence et avec toute l'habileté requise en temps de censure, des propos « libéraux » qui perpétuent encore quelque chose de l'esprit des Lumières. Face à lui, il y a son collègue Savigny, le juriste ultratraditionaliste, créateur de « L'École historique », qui s'en réfère encore et toujours aux vieux textes de lois, proclamés les meilleurs, tels que conçus au XVIᵉ siècle, comme par exemple la « Carolina ». Savigny, favorable à une filiation entre théologie et droit, développe une sorte de fondamentalisme paradoxal, qui intègre parfaitement la spécificité de la situation politique de son temps : il soutient notamment que le peuple allemand, les traditions juridiques allemandes et la langue allemande elle-même ne sont pas préparés à une codification du droit civil allemand à l'instar du code civil français quelques années auparavant, innovation que réclament pourtant de nombreux progressistes parmi ses contemporains. Le jeune Marx, pris entre ces deux courants, suit alors les cours de Savigny, tout comme il s'initie à l'hégélianisme auprès du professeur Gans.

En 1840, Frédéric-Guillaume IV est couronné roi de Prusse. Dans un premier temps, il allège la censure et montre quelques signes d'ouverture qui laissent espérer à certains un progrès possible vers une constitution. Mais, très vite, il apparaît que, bien qu'ayant convoqué les parlements provinciaux, sous l'influence de Metternich et du Tsar russe, il refusera tout débat sur le sujet. C'est alors, et dans ce contexte si particulier, que Marx va prendre la plume.

C. M.

KARL MARX

L'Opium du peuple

Introduction
de *Contribution à la critique
de la philosophie du droit de Hegel*

Pour l'Allemagne, la *critique de la religion* est pour l'essentiel close. Or, la critique de la religion est la condition première de toute critique[1].

L'existence *profane* de l'erreur est compromise dès que sa *céleste oratio pro aris et focis*[2] a été réfutée. L'homme qui, dans la réalité fantastique du Ciel où il cherchait un surhomme, n'a trouvé que son propre *reflet*, ne sera plus tenté de ne trouver que sa propre

_____

1. Sans doute faut-il voir ici une allusion de Karl Marx aux débats et controverses qui se déroulent en Allemagne depuis les années 1830, animés par des penseurs matérialistes comme Ludwig Feuerbach ou Bruno Bauer. L'ouvrage de David Strauss, *La Vie de Jésus*, publié en 1835, a eu un retentissement considérable jusqu'au-delà de l'Allemagne. Strauss l'hégélien y prenait position contre la religion officielle et proposait une étude scientifique (philologique) des Évangiles pour montrer le Jésus historique, dégagé des dogmes et légendes. Au moment où Marx écrit, il tient pour acquise par ses contemporains l'idée que la religion n'est qu'une composition humaine.
2. Littéralement, plaidoyer pour la défense des autels et des foyers, ce qui signifie ici un discours d'autodéfense.

apparence, le non-homme, là où il cherche et est forcé de chercher sa réalité véritable.

Le fondement de la critique irréligieuse est celui-ci : *L'homme fait la religion*, ce n'est pas la religion qui fait l'homme. La religion est en réalité la conscience et le sentiment propre de l'homme qui, ou bien ne s'est pas encore trouvé, ou bien s'est déjà reperdu. Mais *l'homme* n'est pas un être abstrait, extérieur au monde réel. L'homme, c'est *le monde de l'homme*, l'État, la société. Cet État, cette société produisent la religion, une *conscience du monde renversée*[1], parce qu'ils constituent eux-mêmes un *monde à l'envers*. La religion est la théorie générale de ce monde, son *compendium*[2] encyclopédique, sa logique sous une forme populaire, son point d'honneur[3] spiritualiste, son enthousiasme, sa sanction morale, son complément solennel, sa raison générale de consolation et de justification. C'est la *réalisation fantastique* de l'essence humaine, parce que l'*essence humaine* n'a

---

1. Molitor a traduit l'allemand *verkehrt* par « erroné » ou « faux », alors qu'il signifie « renversé », « à l'envers ». Nous rétablissons ici la formule telle qu'elle doit être traduite et telle qu'elle est citée régulièrement depuis quelques décennies. À ce sujet, *cf.* Raymond Aron, *Le Marxisme de Marx*, De Fallois, 2002, pp.74-75.
2. Un compendium désigne une compilation de connaissances, souvent sous une forme abrégée ; une somme encyclopédique.
3. En français dans le texte.

pas de réalité véritable. La lutte contre la religion est donc par ricochet la lutte contre ce monde, dont la religion est l'arôme spirituel.

La misère *religieuse* est, d'une part, l'*expression* de la misère réelle et, d'autre part, la *protestation* contre la misère réelle. La religion est le soupir de la créature accablée par le malheur, l'âme d'un monde sans cœur, de même qu'elle est l'esprit d'une époque sans esprit. C'est l'*opium* du peuple.

Le *véritable* bonheur du peuple exige que la religion soit supprimée en tant que bonheur *illusoire* du peuple. Exiger qu'il soit renoncé aux illusions concernant notre propre situation, c'est *exiger qu'il soit renoncé à une situation qui a besoin d'illusions*. La critique de la religion est donc, *en germe*, la *critique de cette vallée de larmes* dont la religion est *l'auréole*.

La critique a effeuillé les fleurs imaginaires qui couvraient la chaîne, non pas pour que l'homme porte la chaîne prosaïque et désolante, mais pour qu'il secoue la chaîne et cueille la fleur vivante. La critique de la religion désillusionne l'homme pour qu'il pense, agisse, forme sa réalité comme un homme désillusionné, devenu raisonnable, pour qu'il se meuve autour de lui et par suite autour de son véritable soleil. La religion n'est que le soleil illusoire qui se meut autour de l'homme, tant qu'il ne se meut pas autour de lui-même.

C'est donc la *mission de l'histoire*, une fois que la *vie future de la vérité* s'est évanouie, que d'établir la *vérité de la vie présente*. Et la première *tâche de la philosophie*, qui est au service de l'histoire, consiste, une fois démasquée l'*image sainte* qui représentait la renonciation de l'homme à lui-même, à démasquer cette renonciation sous ses *formes profanes*. La critique du Ciel se transforme ainsi en critique de la terre, la *critique de la religion* en *critique du droit*, la *critique de la théologie* en *critique de la politique*.

Les développements qui suivent – une contribution à ce travail[1] – ne se rattachent pas directement à l'original, mais à une copie, à la *philosophie* politique et à la *philosophie* allemande du droit, pour la seule raison qu'ils se rattachent à *l'Allemagne*.

Si l'on voulait partir du *statu quo* allemand, fût-ce de la seule façon adéquate, c'est-à-dire négative, le résultat n'en resterait pas moins un *anachronisme*. La négation même de notre présent politique est déjà remisée, tel un fait couvert de poussière, dans la pièce de débarras historique des peuples modernes. J'ai beau nier les perruques poudrées, il me reste

---

1. Marx évoque ici son entreprise, contribuer à une critique de la philosophie du droit de Hegel, ouvrage qui demeure inachevé à la mort du philosophe (*cf.* Marx et Engels, *Œuvres*, tome 1, Berlin, 1958, pp. 201-333).

toujours les perruques non poudrées. Lorsque je nie la situation allemande de 1843, j'en suis, d'après la chronologie française, à peine en l'année 1789, et encore moins au centre même du temps présent.

Bien plus, l'histoire allemande s'enorgueillit d'un mouvement que nul peuple n'a réalisé avant elle dans la sphère historique, et que nul peuple ne reproduira après elle. Nous avons en effet partagé les restaurations des peuples modernes sans partager leurs révolutions. Nous avons été restaurés, d'abord parce que d'autres peuples ont supporté une contre-révolution ; la première fois, parce que nos maîtres eurent peur, la seconde fois parce que nos maîtres n'eurent pas peur. Nous, nos bergers à notre tête, nous n'avons jamais été qu'une fois en compagnie de la liberté, et ce fut le *jour de son enterrement.*

Une école qui explique l'infamie d'aujourd'hui par l'infamie d'hier ; une école qui déclare que tout cri poussé par le serf sous le knout[1] est un cri rebelle, du moment que le knout est un knout chargé d'années, héréditaire, historique ; une école à qui l'histoire, comme le Dieu d'Israël le fit pour son serviteur Moïse, ne montre que son *a posteriori* ; l'*École du droit*

---

1. Le knout est un fouet que les Russes utilisaient pour flageller les « criminels » politiques.

historique aurait donc inventé l'histoire allemande[1]. Shylock[2], mais Shylock le valet, elle jure, pour chaque livre de chair découpée dans le cœur du peuple, sur son apparence, sur son apparence historique, sur son apparence germano-chrétienne.

D'enthousiastes bons garçons, nationalistes par tempérament et libéraux par réflexion, recherchent au contraire l'histoire de notre liberté au-delà de notre histoire, dans les forêts vierges teutoniques. Mais en quoi l'histoire de notre liberté diffère-t-elle de l'histoire de la liberté du sanglier, si l'on ne peut la trouver que dans les forêts ? Et d'ailleurs, le proverbe ne dit-il pas : La forêt ne renvoie jamais en écho que ce qu'on lui a crié. Donc, paix aux forêts vierges teutoniques !

Guerre à l'état social allemand ! Évidemment ! Cet état est *au-dessous du niveau de l'histoire*, il est *au-dessous de toute critique*, mais il n'en reste pas moins

---

1. Friedrich Carl von Savigny (1779-1861), l'un des plus grands juristes du XIXe siècle, a enseigné la science juridique à Marx. Il est ici visé au même titre que tous les représentants de l'École historique de la philosophie du droit. Lorsque Marx l'attaque en 1843, celui-ci vient d'être nommé ministre de la Justice en Prusse, et se fait fort de mettre en application ses conceptions très conservatrices.

2. Shylock est le riche usurier juif, déterminé à recouvrer ses créances, du *Marchand de Venise* de Shakespeare.

un objet de la critique, tout comme le criminel, qui est au-dessous du niveau de l'humanité, reste l'*objet du bourreau*. En lutte contre cet état social, la critique n'est pas une passion de la tête, mais la tête de la passion. Elle n'est pas un bistouri, mais une arme. Son objet, c'est son *ennemi*, qu'elle veut, non pas réfuter, mais *anéantir*. Car l'esprit de cet état social a été réfuté. En soi et pour soi, cet état ne constitue pas un objet qui *mérite d'être pensé*, mais plutôt une *existence* aussi méprisable que méprisée. La critique en soi n'a pas besoin de se fatiguer à comprendre cet objet, puisqu'elle l'a bien saisi depuis longtemps. Elle ne se donne plus comme un *but absolu*, mais uniquement comme un *moyen*. C'est l'*indignation* qui fait l'essence de son style pathétique, c'est la *dénonciation* qui constitue le plus clair de sa besogne.

Il s'agit de faire le tableau de la sourde pression que toutes les sphères sociales font réciproquement peser les unes sur les autres, d'un désaccord général et veule, d'une étroitesse d'esprit aussi présomptueuse que mal renseignée, le tout placé dans le cadre d'un système de gouvernement qui vit de la conservation de toutes les insuffisances et n'est que *l'insuffisance dans le gouvernement*.

Quel spectacle ! La société se trouve divisée, jusqu'à l'infini, en races aussi variées que possible, qui s'affrontent avec de petites antipathies, une mauvaise conscience et une médiocrité brutales, et qui, précisément à cause de leur situation réciproque ombrageuse et ambiguë, sont toutes, sans exception, bien qu'avec des formalités différentes, traitées par leurs *maîtres* comme des *existences* qu'on leur aurait *concédées*. Et dans ce fait d'être *dominées, gouvernées, possédées*, elles sont même forcées de reconnaître et de confesser une *concession du Ciel*! Et en face de ces races, nous voyons les souverains eux-mêmes, dont la grandeur est en raison inverse de leur nombre !

La critique qui s'occupe de cet objet, c'est la critique *dans la mêlée*. Or, dans la mêlée, il ne s'agit pas de savoir si l'adversaire est un adversaire de même rang, noble, *intéressant*; il s'agit de le *toucher*. Il s'agit de ne pas laisser aux Allemands un seul instant d'illusion et de résignation. Il faut rendre l'oppression réelle plus dure encore en y ajoutant la conscience de l'oppression, et rendre la honte plus honteuse encore, en la livrant à la publicité. Il faut représenter chaque sphère de la société allemande comme la partie honteuse[1] de la société allemande ; et ces conditions sociales pétrifiées, il faut les forcer à danser, en leur faisant entendre leur propre mélodie ! Il faut apprendre au peuple à *avoir peur de lui-même* afin

---

1. En français dans le texte.

de lui donner du *courage*. On satisfait ainsi un besoin impérieux du peuple allemand, et les besoins des peuples sont en dernière analyse les raisons ultimes de leur satisfaction.

Et même pour les peuples *modernes*, cette lutte contre le fond borné du *statu quo* allemand ne peut pas ne pas présenter d'intérêt. Le *statu quo* allemand est en effet le *parachèvement ouvert de l'ancien régime*[1], et l'*ancien régime* est la *tare cachée de l'État moderne*. La lutte contre le présent politique allemand, c'est la lutte contre le passé des peuples modernes, et les réminiscences de ce passé ne cessent de les importuner. Il est instructif, pour les peuples modernes, de voir l'*ancien régime* qui a, chez eux, connu la tragédie, jouer la *comédie* comme revenant allemand. L'ancien régime eut une histoire *tragique*, tant qu'il fut le pouvoir préexistant du monde, et la liberté une simple incidence personnelle, en un mot, tant qu'il croyait et devait croire lui-même à son droit. Tant que l'*ancien régime* luttait comme ordre réel du monde contre un autre monde naissant, il y avait de son côté une erreur historique, mais pas d'erreur personnelle. C'est pourquoi sa mort fut tragique.

Le régime allemand actuel, au contraire, qui n'est qu'un anachronisme, une contradiction fla-

---

1. Systématiquement en français dans le texte.

grante à des axiomes universellement reconnus, la nullité dévoilée au monde entier de l'*ancien régime*, ne fait plus que s'imaginer qu'il croit à sa propre essence et demande au monde de pratiquer la même croyance. S'il croyait à sa propre *essence*, essaierait-il de la cacher sous l'*apparence* d'une essence étrangère et de trouver son salut dans l'hypocrisie et le sophisme ? L'*ancien régime* moderne n'est plus que le comédien d'un ordre social dont les *héros réels* sont morts. L'histoire ne fait rien à moitié et elle traverse beaucoup de phases quand elle veut conduire à sa dernière demeure une vieille forme sociale. La dernière phase d'une forme historique, c'est la *comédie*. Les dieux grecs, une première fois tragiquement blessés à mort dans le *Prométhée enchaîné* d'Eschyle, eurent à subir une seconde mort, la mort comique, dans les *Dialogues* de Lucien. Pourquoi cette marche de l'histoire ? Pour que l'humanité se sépare *avec joie* de son passé. Et cette *joyeuse* destinée historique nous la revendiquons pour les puissances politiques de l'Allemagne.

Mais, dès que la réalité sociale et politique *moderne* est elle-même soumise à la critique, dès que, par conséquent, la critique s'élève à des problèmes vraiment humains, elle se trouve en dehors du *statu quo* allemand, sinon elle saisirait son objet par le petit côté[1]. Un exemple ! Le rapport de l'industrie, du monde de la richesse en général, au monde politique est un problème capital des temps modernes. Sous quelle forme ce problème commence-t-il à préoccuper les Allemands ? Sous la forme des *tarifs protectionnistes*, du *système prohibitif*, de l'*économie nationale*. La teutomanie a passé des hommes dans la matière si bien qu'un beau jour nos chevaliers du coton et nos héros du fer se virent métamorphosés en patriotes. On commence donc à reconnaître en Allemagne la souveraineté du monopole à l'intérieur en lui attribuant la *souveraineté à l'extérieur*. On commence donc à faire en Allemagne ce par quoi l'on a fini en France ou en Angleterre. L'ancien ordre pourri, contre lequel ces peuples se révoltent en théorie, et qu'ils supportent simplement comme l'on supporte des chaînes, est salué en Allemagne comme l'aube naissante d'un bel avenir, qui ose encore à peine passer de la théorie *astucieuse*[2] à la pratique brutale. Tandis qu'en France et en Angleterre le problème se pose sous la forme de l'*économie politique* ou du *pou-*

---

1. Marx écrit littéralement : « sinon elle saisirait son objet *sous* son objet ».
2. Marx joue ici sur le mot *listig*, « astucieux » en allemand, en faisant implicitement allusion à Friedrich List (1789-1846), l'économiste allemand partisan du « protectionnisme éducateur » et père du nationalisme germanique.

voir de la société sur la richesse, il se pose en Allemagne sous la forme de l'*économie nationale* ou du *pouvoir de la propriété privée sur la nationalité*. Il s'agit donc, en France et en Angleterre, d'abolir le monopole qui a été poussé jusqu'à ses dernières conséquences ; et il s'agit en Allemagne d'aller jusqu'aux dernières conséquences du monopole. Là, il s'agit de la solution, ici il ne s'agit encore que de la collision. Et nous voyons suffisamment, par cet exemple, sous quelle forme les problèmes modernes se posent en Allemagne ; et cet exemple nous montre que notre histoire, semblable à une jeune recrue, n'a eu jusqu'ici que la tâche de ressasser des histoires banales.

Si *tout* le développement allemand ne dépassait donc pas le développement *politique* allemand, un Allemand pourrait intervenir dans les problèmes du temps présent tout au plus comme un *Russe* y interviendrait[1]. Mais si l'individu particulier n'est pas lié par les limites de la nation, la nation tout entière est encore bien moins affranchie par l'affranchissement d'un individu. Les Scythes n'ont pas progressé d'un seul pas vers la culture grecque du

---

1. Pique contre la situation dans l'Empire russe arriéré (*cf.* tableau dressé notamment par le livre d'Adolphe de Custine, *La Russie en 1839*), du tsar Nicolas Ier, sans évolution aucune dans les domaines économique et politique.

fait que la Grèce compte un Scythe au nombre de ses philosophes[1].

Par bonheur, nous autres Allemands ne sommes pas des Scythes.

De même que les anciens peuples ont vécu leur préhistoire dans l'imagination, dans la *mythologie*, nous autres Allemands nous avons vécu notre post-histoire dans la pensée, dans la *philosophie*. Nous sommes les contemporains *philosophiques* du temps présent sans en être les contemporains *historiques*. La philosophie allemande est le *prolongement idéal* de l'histoire allemande. Lorsque, au lieu des œuvres incomplètes[2] de notre histoire réelle, nous critiquons donc les œuvres posthumes de notre histoire idéale, la *philosophie*, notre critique est en plein milieu des questions dont le présent dit : *That is the question.* Ce qui, chez les peuples avancés, constitue un désaccord *pratique* avec l'ordre social moderne, cela constitue tout d'abord en Allemagne, où cet ordre social n'existe même pas encore, un désaccord *critique* avec le mirage philosophique de cet ordre social.

_____

1. Allusion à Anacharsis, philosophe d'origine scythe, arrivé en Grèce au début du Vᵉ siècle avant J.-C. Était-il l'un des Sept Sages mythiques ? Il ne reste, en tous les cas, aucun texte de sa main, seulement quelques témoignages indirects, dont celui de Diogène Laërce.
2. En français dans le texte.

La *philosophie du droit*, la *philosophie politique* allemande est la seule histoire allemande qui soit *al pari*[1] avec le présent moderne *officiel*. Le peuple allemand est donc forcé de lier son histoire rêvée à son ordre social du moment et à soumettre à la critique, non seulement cet ordre social existant, mais encore sa continuation abstraite. Son avenir ne peut *se limiter* ni à la négation directe de son ordre juridique et politique réel, ni à la réalisation directe de son ordre juridique et politique idéal. La négation directe de son ordre réel, il la possède en effet dans son ordre idéal, et la réalisation directe de son ordre idéal, il l'a déjà presque *dépassée* dans l'idée des peuples voisins. C'est donc à juste titre qu'en Allemagne le parti politique *pratique* réclame la négation de la *philosophie*. Son tort consiste non pas à formuler cette revendication, mais à s'arrêter à cette revendication qu'il ne réalise pas et ne peut pas réaliser sérieusement. Il se figure effectuer cette négation en tournant le dos à la philosophie et en lui consacrant, à mi-voix et le regard ailleurs, quelques phrases banales et pleines de mauvaise humeur. Quant aux limites étroites de son horizon, la philosophie ne les compte pas non plus dans le domaine de la réalité *allemande*, ou bien va jusqu'à

---

1. « De pair », c'est-à-dire en phase avec le présent moderne.

26

les supposer *sous la* pratique allemande et les théories dont elle fait usage. Vous demandez que l'on prenne comme point de départ de *réels germes de vie*, mais vous oubliez que le véritable germe de vie du peuple allemand n'a poussé jusqu'ici que sous le *crâne* de ce même peuple. En un mot : *Vous ne pouvez supprimer la philosophie sans la réaliser.*

La même erreur, mais avec des facteurs *inverses*, fut commise par le parti politique *théorique*, qui date de la philosophie.

Dans la lutte actuelle, ce parti n'a vu *que* la *lutte critique de la philosophie contre le monde allemand* ; et il n'a pas considéré que la *philosophie passée* fait elle-même partie de ce monde et en est le *complément*, ne fût-ce que le complément idéal. Critique envers son adversaire, il ne le fut pas envers lui-même : il prit, en effet, comme point de départ, les *hypothèses* de la philosophie ; mais, ou bien il s'en tint aux résultats donnés par la philosophie, ou bien il alla chercher autre part des exigences et des résultats pour les donner comme des exigences et des résultats immédiats de la philosophie, bien qu'on ne puisse – leur légitimité supposée – les obtenir au contraire que par la *négation de la philosophie telle qu'elle fut jusqu'ici*, c'est-à-dire de la philosophie en tant que philosophie. Nous nous réservons de donner un tableau plus détaillé de ce parti. Son principal défaut peut se résumer comme suit : *Il croyait pouvoir réaliser la philosophie, sans la supprimer.*

La critique de la *philosophie du droit* et de la *philosophie politique allemande*, à laquelle *Hegel* a donné la formule la plus logique, la plus riche, la plus absolue, est à la fois l'analyse critique de l'État moderne et de la réalité qui s'y trouve liée, et la négation catégorique de toute la *manière* passée de la *conscience juridique* et *politique allemande*[1], dont l'expression la plus universelle, l'expression capitale élevée au rang d'une *science*, est précisément la *philosophie spéculative du droit*. Si l'Allemagne seule a pu donner naissance à la philosophie spéculative du droit, cette *pensée* transcendante et abstraite de l'État moderne dont la réalité reste un au-delà, cet au-delà ne fût-il situé que de l'autre côté du Rhin, réciproquement, la représentation *allemande* de l'État moderne, cette représentation qui fait abstraction de *l'homme réel*, n'était elle aussi possible que parce que et autant que l'État moderne fait

---

1. Marx désigne par là la grande tradition de la théorie et de la philosophie juridique allemande, élaborée par une longue lignée de juristes érudits, héritiers de Melanchthon, l'ami de Luther, au lendemain de la première « révolution » allemande, la protestante. (Pour d'éventuelles précisions et une brève histoire de l'impact de la Réforme sur la tradition juridique allemande, lire Harold Berman, *Droit et Révolution*, Fayard, 2010.)

lui-même abstraction de *l'homme réel,* ou ne satisfait *tout l'homme* que de façon imaginaire. En politique, les Allemands ont *pensé* ce que les autres peuples ont *fait.* L'Allemagne a été leur *conscience théorique.* L'abstraction et la présomption de sa pensée ont toujours marché de pair avec le caractère exclusif et trop compact de leur réalité. Si donc le *statu quo* de *l'ordre politique allemand* exprime le *parachèvement de l'ancien régime,* ce qui constitue une écharde dans le corps de l'État moderne, le *statu quo* de la *science politique allemande* exprime l'*inachèvement de l'État moderne,* ce qui constitue la nature morbide de son corps.

Par le seul fait qu'elle est l'adversaire déclaré de l'ancien mode de la conscience politique *allemande,* la critique de la philosophie spéculative du droit ne s'égare pas en elle-même, mais en des *tâches* dont la solution ne peut être donnée que par un moyen : la *pratique.*

La question se pose donc : l'Allemagne peut-elle arriver à une pratique à la hauteur des principes[1], c'est-à-dire à une *révolution* qui l'élèvera, non seulement au *niveau officiel* des peuples modernes, mais à la *hauteur humaine,* qui sera le proche avenir de ces peuples ?

---

1. En français dans le texte.

Il est évident que l'arme de la critique ne saurait remplacer la critique des armes ; la force matérielle ne peut être abattue que par la force matérielle ; mais la théorie se change, elle aussi, en force matérielle, dès qu'elle pénètre les masses. La théorie est capable de pénétrer les masses dès qu'elle procède par des démonstrations *ad hominem*[1], et elle fait des démonstrations *ad hominem* dès qu'elle devient radicale. Être radical, c'est prendre les choses par la racine. Or, pour l'homme, la racine, c'est l'homme lui-même. Ce qui prouve jusqu'à l'évidence le radicalisme de la théorie allemande, donc son énergie pratique, c'est qu'elle prend comme point de départ la suppression absolument positive de la religion. La critique de la religion aboutit à cette doctrine, que *l'homme est, pour l'homme, l'être suprême*. Elle aboutit donc à *l'impératif catégorique de renverser toutes les conditions sociales* où l'homme est un être abaissé, asservi, abandonné, méprisable, qu'on ne peut mieux dépeindre qu'en leur appliquant la boutade d'un Français à l'occasion de l'établissement projeté d'une taxe sur les chiens : « Pauvres chiens ! on veut vous traiter comme des hommes ! »

Même au point de vue historique, l'émancipation théorique présente pour l'Allemagne une impor-

---

1. En mettant l'homme en cause.

tance spécifiquement pratique. En effet, le passé *révolutionnaire* de l'Allemagne est théorique, c'est la *Réforme*. À cette époque, la révolution débuta dans la tête d'un *moine*; aujourd'hui, elle débute dans la tête du *philosophe*.

Luther a, sans contredit, vaincu la servitude par *dévotion*, mais en lui substituant la servitude par *conviction*. Il a brisé la foi en l'autorité parce qu'il a restauré l'autorité de la foi. Il a transformé les prêtres en laïcs parce qu'il a métamorphosé les laïcs en prêtres. Il a libéré l'homme de la religiosité extérieure parce qu'il a fait de la religiosité l'essence même de l'homme. Il a fait tomber les chaînes du corps parce qu'il a chargé le cœur de chaînes[1].

Mais, si le protestantisme ne fut pas la vraie solution, ce fut du moins la vraie position du problème. Il ne s'agissait plus, dès lors, de la lutte du laïc contre le *prêtre*, c'est-à-dire contre quelqu'un d'*extérieur à lui-même*; il s'agissait de la lutte contre son *propre prêtre intérieur*, contre sa *propre nature de prêtre*. Et si la métamorphose protestante des laïcs allemands en prêtres a émancipé les papes laïques, les *princes* avec

---

1. Marx a bien vu que le protestantisme et la résolution luthérienne ont engendré un transfert de pouvoir, à la fois une intériorisation (intercession directe du croyant avec Dieu, sans plus passer par le prêtre) et un déplacement puisque l'autorité civile est allée aux princes.

leur clergé, les privilégiés et les philistins, la méta-morphose philosophique des Allemands-prêtres en hommes émancipera le peuple. Mais, tout comme l'émancipation ne s'arrêtera pas aux princes, la *sécularisation* des biens ne se bornera pas à la *spoliation des églises* qui fut pratiquée surtout par la Prusse hypocrite. À ce moment-là, la guerre des Paysans[1], ce fait le plus radical de l'histoire allemande, se brisa contre la théologie. De nos jours, alors que la théologie a fait elle-même naufrage, le fait le moins libre de l'histoire allemande, notre *statu quo*, échouera devant la philo-sophie. La veille de la Réforme, l'Allemagne officielle était la servante la plus absolue de Rome. La veille de sa révolution, elle est la servante absolue de gens bien inférieurs à Rome, c'est-à-dire de la Prusse et de l'Autriche, des hobereaux et des philistins.

Mais une révolution *radicale* allemande semble se heurter à une difficulté capitale.

En effet, les révolutions ont besoin d'un élément *passif*, d'une base *matérielle*. La théorie n'est jamais

---

1. À partir de juin 1524 et durant toute l'année 1525, des révoltes éclatent en Allemagne du Sud, emmenées par des paysans, des arti-sans, des mineurs : ce mouvement de masse se dresse, au nom de l'« homme du commun » contre l'oppression des « pouvoirs spiri-tuels et temporels », animé par une vision égalitaire reposant sur la fraternité chrétienne. La répression par les princes locaux est terrible : le mouvement est écrasé au début de l'année 1526.

réalisée dans un peuple que dans la mesure où elle est la réalisation des besoins de ce peuple. Le désaccord énorme entre les revendications de la pensée allemande et les réponses de la réalité allemande aura-t-il comme correspondant le même désaccord de la société bourgeoise avec l'État et avec elle-même ? Les besoins théoriques seront-ils des besoins directement pratiques ? Il ne suffit pas que la pensée recherche la réalisation, il faut encore que la réalité recherche la pensée.

Mais l'Allemagne n'a pas gravi les degrés intermédiaires de l'émancipation politique en même temps que les peuples modernes. Et même les degrés, auxquels elle s'est élevée théoriquement, elle ne les a pas encore atteints dans la pratique. Et comment pourrait-elle, en un saut périlleux, franchir ses propres barrières, mais aussi les barrières des peuples modernes, c'est-à-dire des barrières dont elle doit, dans la réalité, éprouver et poursuivre l'établissement comme une émancipation de ses barrières réelles ? Une révolution radicale ne peut être que la révolution de besoins radicaux, dont il semble précisément qu'il manque les conditions et les lieux d'éclosion.

Mais l'Allemagne, si elle n'a fait qu'accompagner de l'activité abstraite de la pensée le développement des peuples modernes, sans prendre de part active dans les luttes réelles de ce développement, a partagé les *souffrances* de ce développement sans en partager les jouissances ni la satisfaction partielle. À l'activité abstraite d'une part correspond la souffrance abstraite d'autre part. Et un beau jour, l'Allemagne se trouvera donc au niveau de la décadence européenne avant d'avoir jamais été au niveau de l'émancipation européenne. On pourra la comparer à un *fétichiste* qui se meurt des maladies du christianisme.

Si l'on considère tout d'abord les *gouvernements allemands*, on se rend compte que les circonstances actuelles, la situation de l'Allemagne, l'étiage de la culture allemande, enfin un heureux instinct les poussent à combiner les *défauts civilisés* du *monde politique moderne*, dont nous ne possédons pas les avantages, avec les *défauts barbares* de l'*ancien régime*, dont nous jouissons pleinement, de telle sorte que l'Allemagne doit participer de plus en plus, sinon à l'intelligence, du moins à la déraison des formations politiques dépassant son *statu quo*. Y a-t-il par exemple, de par le monde, un pays qui partage avec autant de naïveté que l'Allemagne soi-disant constitutionnelle toutes les illusions du régime constitutionnel sans en partager les réalités ? Ou bien, le gouvernement allemand ne dut-il pas nécessairement avoir l'idée d'allier les tourments de la censure avec les tourments des lois françaises de septembre[1], qui supposent la liberté de la presse ? De même qu'au panthéon romain l'on trouvait les *dieux* de toutes les nations, on trouvera dans le Saint-Empire germanique tous les *péchés* de toutes les formes d'État. Cet éclectisme atteindra une hauteur insoupçonnée jusqu'ici. Nous en avons la garantie, notamment dans la *gourmandise politico-esthétique* d'un roi allemand[2] qui pense jouer tous les rôles de la royauté, de la royauté féodale ou bureaucratique, absolue ou constitutionnelle, autocratique ou démocratique. Si ce n'est par l'intermédiaire du peuple, du moins en *propre personne*. Si ce n'est pour le peuple, du moins *pour lui-même*. *L'Allemagne, en tant que personnification du vice absolu du présent politique*, ne pourra démolir les barrières spécifiquement allemandes sans démolir la barrière générale du présent politique.

Ce qui est, pour l'Allemagne, un rêve utopique, ce n'est pas la révolution *radicale*, l'émancipation *générale et humaine*, c'est plutôt la révolution partielle,

---

1. Allusion aux projets de lois d'Adophe Thiers, proposés à la suite de l'attentat du 28 juillet 1835 sur la personne de Louis-Philippe, et adoptées en septembre de cette même année. Particulièrement réactionnaires, elles incitèrent la presse française à s'autocensurer, de peur des amendes considérables qui lui étaient promises en cas d'incitation à la rébellion.
2. Frédéric-Guillaume IV, roi de Prusse.

simplement politique, la révolution qui laisse debout les piliers de la maison. Sur quoi repose une révolution partielle, simplement politique ? Sur ceci : une *fraction de la société bourgeoise* s'émancipe et accapare la *suprématie générale*, une classe déterminée entreprend, en partant de sa *situation particulière*, l'émancipation générale de la société. Cette classe émancipe la société tout entière, mais uniquement dans l'hypothèse que la société tout entière se trouve dans la situation de cette classe, qu'elle possède donc ou puisse se procurer à sa convenance par exemple l'argent ou la culture.

Il n'est pas de classe de la société bourgeoise qui puisse jouer ce rôle, à moins de faire naître en elle-même et dans la masse un élément d'enthousiasme où elle fraternise et se confonde avec la société en général, s'identifie avec elle et soit ressentie et reconnue comme le *représentant général* de cette société, un élément où ses prétentions et ses droits soient en réalité les droits et les prétentions de la société elle-même, où elle soit réellement la tête sociale et le cœur social. Ce n'est qu'au nom des droits généraux de la société qu'une classe particulière peut revendiquer la suprématie générale. Pour emporter d'assaut cette position émancipatrice et s'assurer l'exploitation politique de toutes les sphères de la société dans l'intérêt de sa propre sphère, l'énergie révolutionnaire et la conscience de sa propre force ne suffisent pas. Pour que la *révolution d'un peuple* et l'*émancipation d'une classe particulière* de la société bourgeoise coïncident, pour qu'une classe représente toute la société, il faut au contraire que tous les vices de la société soient concentrés dans une autre classe, qu'une classe déterminée soit la classe du scandale général, la personnification de la barrière générale ; il faut qu'une sphère sociale particulière passe pour le crime notoire de toute la société, si bien qu'en s'émancipant de cette sphère on réalise l'émancipation générale. Pour qu'une classe soit par excellence[1] la classe de l'émancipation, il faut inversement qu'une autre classe soit ouvertement la classe de l'asservissement. L'importance générale négative de la noblesse et du clergé français avait comme conséquence nécessaire l'importance générale positive de la *bourgeoisie*, la classe la plus immédiatement voisine et opposée.

Tout d'abord, n'importe quelle classe particulière de l'Allemagne manque de la logique, de la pénétration, du courage, de la netteté qui pourraient la constituer en représentant négatif de la société. Mais il lui manque tout autant cette largeur d'âme qui s'identifie, ne fût-ce que momentanément, avec l'âme populaire, cette génialité qui pousse la force matérielle à

---

1. En français dans le texte.

la puissance politique, cette hardiesse révolutionnaire qui jette à l'adversaire cette parole de défi : *Je ne suis rien et je devrais être tout*[1]. L'essence de la morale et de l'honnêteté allemandes, des classes aussi bien que des individus, est constituée par cet *égoïsme modeste* qui fait valoir et permet qu'on fasse valoir contre lui-même son peu d'étendue. La situation réciproque des différentes sphères de la société allemande n'est donc pas dramatique, mais épique. Chacune de ses sphères se met à prendre conscience d'elle-même et à s'établir à côté des autres avec ses revendications particulières, non pas à partir du moment où elle est opprimée, mais à partir du moment où, sans qu'elle y ait contribué en rien, les circonstances créent une nouvelle sphère sociale sur laquelle elle pourra, à son tour, faire peser son oppression. Même le *senti- ment moral de la classe moyenne allemande* n'a d'autre base que la conscience d'être la représentante géné- rale de la médiocrité étroite et bornée de toutes les autres classes. Ce ne sont donc pas seulement les rois allemands qui montent mal à propos[2] sur le trône ; chaque sphère de la société bourgeoise subit une

---

1. *Cf.* Emmanuel-Joseph Sieyès, « Qu'est-ce que le Tiers-État ? Tout. Qu'a-t-il été jusqu'à présent dans l'ordre politique ? Rien. Que demande-t-il ? Devenir quelque chose », Paris, 1789.
2. En français dans le texte.

défaite avant d'avoir remporté de victoire ; elle élève sa propre barrière avant d'avoir abattu la barrière qui la gêne ; elle fait valoir toute l'étroitesse de ses vues avant d'avoir pu faire valoir sa générosité[1] ; et ainsi, l'occasion même d'un grand rôle est toujours passée avant d'avoir existé, et chaque classe, à l'instant précis où elle engage la lutte contre la classe supérieure, reste impliquée dans la lutte contre la classe inférieure. C'est pourquoi les princes sont en lutte avec la royauté, la bureaucratie avec la noblesse, le bourgeois avec eux tous, tandis que le prolétaire commence déjà la lutte contre le bourgeois. La classe moyenne[2] ose à peine, en se plaçant à son point de vue, concevoir l'idée de l'émancipation que déjà le développement de la situation sociale ainsi que le progrès de la théorie politique font voir que ce point de vue est suranné ou du moins problématique.

En France, il suffit qu'on soit quelque chose pour vouloir être tout. En Allemagne, personne n'a le

---

1. La société des États allemands, en pleine Restauration depuis 1815 et le Congrès de Vienne, se caractérise par son repli sur elle-même, et ne se prononce sur d'autres idéaux que le bonheur tranquille au sein du foyer ou de la famille (chanté par la poésie) ; l'époque est terre-à-terre, prosaïque et conservatrice, on se détourne des idéaux politiques comme de la littérature. Cette époque petite-bourgeoise sera qualifiée de *Biedermeier*.
2. C'est-à-dire la bourgeoisie ici.

droit d'être quelque chose, à moins de renoncer à tout. En France, l'émancipation partielle est la raison de l'émancipation universelle. En Allemagne, l'émancipation universelle est la condition *sine qua non* de toute émancipation partielle. En France, c'est la réalité, en Allemagne, c'est l'impossibilité de l'émancipation progressive qui doit enfanter toute la liberté. En France, toute classe du peuple est politiquement *idéaliste*, et elle a d'abord le sentiment d'être non pas une classe particulière, mais la représentante des besoins généraux de la société. Le rôle d'*émancipateur* passe donc successivement, dans un mouvement dramatique, aux différentes classes du peuple français jusqu'à ce qu'il arrive enfin à la classe qui réalise la liberté sociale, non plus en supposant certaines conditions extérieures à l'homme et néanmoins créées par la société humaine, mais en organisant au contraire toutes les conditions de l'existence humaine dans l'hypothèse de la liberté sociale. En Allemagne, où la vie pratique est aussi peu intellectuelle que la vie intellectuelle est peu pratique, aucune classe de la société bourgeoise n'éprouve ni le besoin ni la faculté de l'émancipation universelle jusqu'à ce qu'elle y soit forcée par sa situation *immédiate*, par la nécessité *matérielle*, par ses *chaînes mêmes*.

Où donc est la possibilité *positive* de l'émancipation allemande ?

Voici notre réponse. Il faut former une classe avec des *chaînes radicales,* une classe de la société bourgeoise qui ne soit pas une classe de la société bourgeoise, une classe qui soit la dissolution de toutes les classes, une sphère qui ait un caractère universel par ses souffrances universelles et ne revendique pas de *droit particulier,* parce qu'on ne lui a pas fait de *tort particulier,* mais un *tort en soi,* une sphère qui ne puisse plus s'en rapporter à un titre *historique,* mais simplement au titre *humain,* une sphère qui ne soit pas en une opposition particulière avec les conséquences, mais en une opposition générale avec toutes les suppositions du système politique allemand, une sphère enfin qui ne puisse s'émanciper sans s'émanciper de toutes les autres sphères de la société et sans, par conséquent, les émanciper toutes, qui soit, en un mot, la *perte complète* de l'homme et ne puisse donc se reconquérir elle-même que par le *regain complet de l'homme.* La décomposition de la société en tant que classe particulière, c'est le *prolétariat.*

Le prolétariat ne commence à se constituer en Allemagne que grâce au mouvement *industriel* qui s'annonce partout. En effet, ce qui forme le prolétariat, ce n'est pas la pauvreté *naturellement existante,* mais la pauvreté *produite artificiellement* ; ce n'est pas la masse machinalement opprimée par le poids de la société, mais la masse résultant de la décomposition aiguë de la société, et surtout de la *décomposition aiguë* de la classe moyenne. Ce qui n'empêche pas, cela va de soi, la pauvreté naturelle et le servage germano-chrétien de grossir peu à peu les rangs du prolétariat.

Lorsque le prolétariat annonce la *dissolution de l'ordre social actuel*, il ne fait qu'énoncer le *secret de sa propre existence*, car il *constitue* lui-même la dissolution *effective* de cet ordre social. Lorsque le prolétariat réclame la *négation de la propriété privée*, il ne fait qu'établir en *principe de la société* ce que la société a établi en principe du prolétariat, ce que celui-ci, sans qu'il y soit pour rien, personnifie déjà comme résultat négatif de la société. Le prolétariat se trouve alors, par rapport au nouveau monde naissant, dans la même situation juridique que le *roi allemand* par rapport au monde existant, quand il appelle le peuple *son* peuple ou un cheval *son* cheval. En déclarant le peuple sa propriété privée, le roi énonce tout simplement que le propriétaire privé est roi.

De même que la philosophie trouve dans le prolétariat ses armes *matérielles*, le prolétariat trouve dans la philosophie ses armes *intellectuelles*. Et dès que l'éclair de la pensée aura pénétré au fond de ce naïf terrain populaire, les *Allemands* s'émanciperont et deviendront des *hommes*.

Résumons le résultat. L'émancipation de l'Allemagne n'est *pratiquement* possible que si l'on se place au point de vue de la théorie qui déclare que l'homme est l'essence suprême de l'homme. L'Allemagne ne pourra s'émanciper du *Moyen Âge* qu'en s'émancipant en même temps des victoires partielles remportées sur le Moyen Âge. En Allemagne, *aucune* espèce d'esclavage ne peut être détruite sans la destruction de tout esclavage. L'Allemagne qui aime aller *au fond* des choses ne peut faire de révolution sans tout bouleverser *de fond en comble. L'émancipation de l'Allemand,* c'est *l'émancipation de l'homme.* La *philosophie* est la tête de cette émancipation, le prolétariat en est le *cœur.* La philosophie ne peut être réalisée sans la suppression du prolétariat, et le prolétariat ne peut être supprimé sans la réalisation de la philosophie.

Quand toutes les conditions intérieures auront été remplies, le jour de la *résurrection allemande* sera annoncé par le *chant éclatant du coq gaulois.*

Pour une critique du Ciel et de la terre

Le jeune Marx, féru de poésie et qui ambitionna un temps de faire de la littérature son métier, s'est d'abord destiné au cursus le plus prestigieux, le droit : il commence à l'étudier à la fin de l'année 1835 à Bonn, puis, en 1837 à Berlin. C'est dans cette ville que Marx fait les expériences parmi les plus déterminantes de sa formation intellectuelle. Il découvre alors l'oppression politique et la censure d'État, notamment celle exercée au nom des choses divines, oppression et censure qui semblaient s'imposer comme allant de soi à une nation encore trop fataliste sinon complaisante envers la tyrannie[1]. Le jeune Marx, qui suit aussi bien les cours de droit du conservateur Savigny que ceux de Gans l'hégélien, a alors une soudaine révélation : il sera philosophe, et pas n'importe quel philosophe, un idéaliste d'inspiration hégélienne. Cette conversion du juridisme à l'idéalisme philosophique ne s'est pas faite sans heurts, et la correspondance de Marx avec son père témoigne de son déchirement intérieur. Comment l'expliquer ? La philosophie de Hegel, que nous ne pouvons ici que très brièvement évoquer, est alors celle qui brille et rayonne sur toute l'Allemagne depuis 1818, année où ce grand professeur accepte de succéder à Fichte à l'Université de Berlin. (Il conserve sa chaire jusqu'en 1831.) Cette pensée vient, en quelque sorte, dépasser les Lumières. À l'optimisme de l'*Aufklärung* succède l'inquiétude liée aux bouleversements politiques et aux évolutions sociales en Europe, dont la France est sans doute l'exemple le plus notoire. Capitalisme et bourgeoisie se développent sûrement, et les États allemands connaissent, sinon une révolution, du moins une évolution plus ou moins importante, aussi bien dans leurs structures que dans les mentalités.

Cette évolution ne laisse pourtant pas d'être paradoxale. Le mouvement historique ne semble pas être une ligne droite à l'apparence d'un long fleuve tranquille. Bien au contraire, si progrès il y a, il paraît être le fruit de nombreuses contradictions : en effet, à l'examen attentif du devenir humain, on observe que les hommes contribuent souvent par leurs actions à produire une autre fin que celle qu'ils visaient au départ, comme par une sorte de ruse. Ce mouvement dit « dialectique » a été précisément mis en lumière par Hegel, qui voit dans l'histoire l'accomplissement d'une rationalité sous la forme d'un processus qui se réalise à travers ce qui lui semble être contraire de prime abord : les passions humaines et les intérêts individuels.

Rien n'est sans raison dans l'Histoire, et quelque chose de sensé s'y accomplit donc bien. Ce quelque chose n'est autre que la réalisation de l'Idée, cette science absolue dont le déploiement dialectique constitue précisément le réel et son devenir historique. Antérieure à toute Histoire, l'Idée se réalise dans le temps à travers des conflits, des contradictions, en dépassant des obstacles, et elle se découvre progressivement à elle-même et aux hommes à travers la science et la philosophie.

D'un certain point de vue, cette vision de l'Histoire, et plus loin, de l'Idée, son moteur, n'est pas étrangère à la théologie ni à la religion. En effet, Hegel n'opère-t-il pas ni plus ni moins qu'une sorte de laïcisation de la théologie ? Cette Idée dont il fait un savoir absolu, moteur de l'Histoire en même temps qu'elle précède tout devenir, ressemble à s'y méprendre au Dieu de la théologie. Si comme lui, elle permet de donner un sens à ce qui paraît souvent ne pas en avoir (l'Histoire humaine, disait Kant avant Hegel, ressemble régulièrement à un « tissu de folie, de vanité puérile[2] », etc.), l'Idée n'en est pas moins discutable, aussi bien du point de vue de la légitimité de sa réalité que de celui de ses conséquences. Elle pose en premier lieu un problème de logique : comment comprendre que la matière soit issue de l'immatériel (Idée) ? Ne faut-il pas bien plutôt qu'il y ait d'abord des esprits pour que surgisse l'Esprit ? N'est-ce pas le réel qui produit la pensée et non l'inverse ?

C'est ce « monde à l'envers », dont parle Marx au début de notre texte et qui inverse la cause et la conséquence, qu'il convient à présent de critiquer ; notre philosophe entreprend alors de dépasser l'idéalisme de Hegel qui l'avait, un temps, séduit. Cette entreprise est d'autant plus nécessaire que Marx n'est pas sans apercevoir les paradoxes de la théorie hégélienne de l'Histoire : ce mouvement du devenir, qui procède par contradictions et dépassements successifs, serait subitement achevé, comme le pense un certain nombre d'hégéliens devenus foncièrement conservateurs, dans la lignée du dernier Hegel, chantre de l'État prussien.

Le 15 avril 1841, Marx soutient une thèse sur Démocrite et Épicure, encore d'inspiration hégélienne, inspiration dont le jeune docteur en philosophie va maintenant se défaire progressivement en même temps que s'ouvre pour lui une vie d'engagement politique. En octobre 1843, Marx réside à Paris, où il cofonde une revue, les *Annales franco-*

allemandes ; il vient en France respirer l'air de la révolution et s'initier au socialisme français. C'est en toute logique que l'un des deux articles qu'il publie dans l'unique numéro de ses *Annales…* a des accents des plus révolutionnaires, qui anticipent sur le *Manifeste du parti communiste*, publié en 1848. Son Introduction de *Contribution à une critique de la philosophie du droit de Hegel* paraît en février 1844, à un moment où l'Allemagne commence à ressembler à certains égards à la France de 1789. Comment expliquer qu'elle ait tant tardé à dépasser son modèle politique et social archaïque ? Comment comprendre le déphasage historique entre la pensée philosophique allemande des Lumières et la situation concrète des États germaniques, au moment même où Marx prend la plume ? L'Allemagne semble avoir achevé sa critique théorique de la religion, si l'on en juge notamment par les œuvres récentes de Ludwig Feuerbach, de Bruno Bauer et de David Strauss, ce qui laisse à Marx l'espoir qu'elle est enfin prête pour un choc révolutionnaire, choc qu'il appelle de tous ses vœux. Pourtant, rien ne bouge encore politiquement. Si la critique de la religion semble un préalable absolument nécessaire à la révolution, il convient alors d'en préciser la teneur.

La religion est « l'opium du peuple » : rarement formule aura été si répétée, exploitée, déformée, mais aussi, discutée par les spécialistes du marxisme qui se divisent à propos d'elle. On l'a souvent entendue comme une critique radicale de la religion, et, par là-même, on a présenté Marx comme un anticlérical forcené. Cependant, la réalité est vraisemblablement plus nuancée. L'article de Marx est avant tout politique : il convient de remettre en cause la situation socio-politique allemande contemporaine, avec pour objectif l'émancipation de son peuple. Si le texte s'ouvre sur une critique de l'aliénation religieuse, c'est d'abord parce que Marx attribue l'immobilisme allemand à son enracinement chrétien. La religion freine d'autant plus la libération et l'autonomie des hommes qu'elle les maintient dans un état de sujétion perpétuelle vis-à-vis de Dieu. Pourtant, « c'est l'homme qui fait la religion, ce n'est pas la religion qui fait l'homme ». Dès lors, si la religion aliène l'humanité, cette aliénation n'est-elle pas une forme d'auto-aliénation ?

En vérité, la religion est la projection, par l'homme, de sa condition d'opprimé et de ses préoccupations, et ainsi cherche-t-il une consolation dans l'au-delà. Cependant, il se fait une fausse idée du monde réel et de lui-même, et c'est sur cette fausse idée qu'il s'est construit une religion. En effet, l'évolution historique et politique a produit une situation aberrante, un monde absurde et injuste dont la religion est à la fois le symptôme et le soi-disant remède. Les hommes souffrent, ils s'inventent alors un Dieu pour apaiser cette souffrance, et cet apaisement vient en retour justifier un cortège de misères, lui permettre de se maintenir et d'être accepté en même temps que l'injustice sociale qui le cause. Ainsi, la religion vient entretenir une représentation fausse de l'homme et de son univers social, elle permet la perpétuation de la sujétion et de la peine. On croit que la condition humaine est condamnée depuis le péché originel à une souffrance terrestre, on lui promet un paradis contre la résignation ici-bas, mais on la leurre. Ce leurre s'appuie sur cette drogue, cet opium, qu'est la foi religieuse. Par elle, le peuple s'administre lui-même de quoi supporter sa misère, un puissant analgésique, mais qui n'offre qu'un paradis d'artifice. La comparaison de l'opium et de la religion n'est pas nouvelle : Kant, dans une note de la *Religion dans les limites de la simple raison*[3], y avait déjà eu recours, mais aussi, entre autres, Feuerbach, que Marx avait largement lu et discuté. Non seulement la religion masquerait la douleur en proposant un bonheur artificiel et illusoire, mais par là-même, elle endormirait toute volonté de renverser un ordre social injuste, un « monde à l'envers », pour mieux le transformer.

Pour autant, ce n'est pas tant la religion qu'il faut critiquer que la société qui en fait le lit. En effet, ne l'oublions pas, la religion est avant tout un symptôme, le révélateur et l'expression de la souffrance. En matière de médecine, éradiquer un symptôme n'est pas nécessairement guérir. On peut, par des médications, masquer la douleur sans jamais en soigner la source, la maladie pouvant ainsi gagner du terrain sans que le malade s'en rende compte, et ce, jusqu'à l'issue fatale. C'est bien cela qu'il convient de prévenir ici : « abolir la religion en tant que bonheur illusoire », ce serait surtout faire en sorte que les hommes n'aient plus besoin de religion, pour la bonne et simple raison que leur monde suffirait alors à leur bonheur réel ! En effet, une abolition de la religion que n'accompagnerait pas une transformation radicale de la société reviendrait à ajouter la cruauté à la souffrance : les hommes n'auraient plus aucune source de compensation ni de consolation. Pour autant, la forme prise par la religion est progressivement devenue celle d'une puissance politique collaborant à l'injustice, et c'est ce type de collaboration, ce rôle politique auquel il faut mettre un terme bien davantage qu'à la religion elle-même. Voilà pourquoi notre texte s'ouvre sur une critique du Ciel qui débouche nécessairement sur une critique de la terre, une critique de la politique[4].

Si la critique de la religion apparaît directement dans l'article de Marx, c'est que le philosophe pro-

cède à une remontée de la conséquence immédiatement visible à sa cause véritable cachée. La foi
religieuse masque ou travestit la réalité de la misère
sociale et l'injustice politique, mais elle arrive après
elles, comme leur effet. La critique proposée par Marx
ne peut donc, sous peine d'être inopérante et inef-
ficace, se réduire à celle du Ciel. Aussi ne saurait-on
en rester aux premières lignes de l'ouvrage, de peur,
sans doute, de caricaturer la pensée de son auteur.
Plus que l'aliénation religieuse, il s'agit davantage de
s'attaquer à l'aliénation sociale, politique et économique.

La critique de l'État moderne passe également par
une remise en cause de la philosophie que Marx veut
aussi dépasser et transformer. « Incapable jusqu'ici
de changer le monde[5] », elle n'a fait au mieux qu'ex-
primer les imperfections et les injustices du monde
moderne. Aussi convient-il à présent de la dépasser,
mais pour mieux la réaliser. Marx n'oublie pas ici
les leçons de la dialectique hégélienne : c'est par un
mouvement de négation de la philosophie qu'on en
pourra réellement réaliser la véritable essence. Le
programme de la philosophie de Hegel visait une
synthèse du savoir absolu, celui de Marx propose une
suppression de toutes les aliénations, une action véritablement transformatrice. Comme pour la religion,
il ne s'agit pas simplement et uniquement d'abolir

l'ancienne spéculation philosophique jugée peu fructueuse. Elle, qui n'est que le reflet, le « complément » du monde dans lequel elle puise sa source, ne pourra être dépassée, mais aussi réalisée que par une transformation du monde. Ici, religion et philosophie se distinguent : la religion est sans doute amenée à être dépassée, mais sans être réalisée ; elle n'est au fond qu'une étape sinon un obstacle, là où la philosophie est amenée à s'accomplir par la *praxis*, l'action par laquelle une transformation des rapports sociaux est effective. La théorie ne devient vraiment efficace que par l'action révolutionnaire : « Il est évident que l'arme de la critique ne saurait remplacer la critique des armes ; la force matérielle ne peut être abattue que par la force matérielle », affirme Marx.

C'est ainsi, par la force, que l'on doit s'attaquer à la racine de l'injustice sociale et émanciper un homme qui doit devenir enfin pour lui-même un « être suprême ». Le modèle d'une telle pensée devenue efficace, Marx le trouve dans la Réforme de Luther. Certes, cette étape révolutionnaire de l'histoire allemande n'est pas complètement parvenue à émanciper le peuple, mais elle a posé les jalons d'une émancipation globale à venir et dont l'Allemagne a besoin selon Marx. Sur le modèle français, une classe devra mener le combat visant la libération intégrale et revendiquer une domination de la société : le prolétariat. Ce dernier, que Marx découvre et introduit dans notre texte, est une classe sociale encore en formation, dont le caractère est universel, dont la pauvreté a été artificiellement construite, subit toute l'injustice et son rôle est celui d'une « reconquête totale » de l'homme. Là où la révolution bourgeoise a échoué, la révolution prolétarienne devra réussir, et ainsi sauver les hommes.

Le jeune Marx a-t-il cependant ici dépassé complètement la religion et la spéculation philosophique qui le précède ? La lecture hégélienne de l'Histoire, avec son jeu d'oppositions et de négations, semble être encore très prégnante ici : l'Histoire lue par Marx n'est-elle pas en route vers la réalisation ultime et complète de l'homme social ? De plus, on peut considérer avec Charles Wackenheim que, dans notre texte, « le prolétariat porteur du salut universel joue un rôle analogue à celui de la communauté messianique ou du Sauveur personnel dans la révélation biblique[6] ». Marx abolit-il la religion pour mieux lui substituer un nouveau salut de l'homme ? L'homme devenu « être suprême » par la grâce de la révolution prolétarienne, le marxisme pourrait bien, en un retournement paradoxal, devenir religion !

Cyril MORANA

Notes de la postface

1. Frédéric-Guillaume III, qui est à la fin de son règne, aux prises avec de sévères remises en cause de son autorité de despote et avec des revendications de réforme, fait le choix de durcir son pouvoir. Il applique alors plus brutalement encore les lois de censure de la presse.

2. Emmanuel Kant, *Idée d'une Histoire universelle au point de vue cosmopolitique*, « Préambule », in *La Philosophie de l'Histoire*, Aubier, 1947, p. 60.

3. *Cf.* Emmanuel Kant, *La Religion dans les limites de la simple raison*, IIe partie, 1re section, note a.

4. La distinction du Ciel et de la terre est ici une allusion à la doctrine des « Deux Royaumes » évoquée dans notre avant-propos. Sans doute cette distinction n'est-elle pas encore suffisamment effective, et la politique demeure toujours contaminée, en quelque manière, par le pouvoir spirituel.

5. *Cf.* Marx, *Thèses sur Feuerbach*, thèse XI, 1845.

6. *Cf.* Charles Wackenheim, *La Faillite de la religion d'après Karl Marx*, PUF, 1963, p. 200.

Vie de Karl Marx

5 mai 1818. Naissance de Karl Marx, issu d'une famille de rabbins, à Trèves (Prusse-Rhénane).

1835-1836. Marx étudie le droit à Bonn, puis à Berlin.

1837. Il fréquente le Doktorklub, cercle d'universitaires et de jeunes hégéliens de gauche.

1838. Mort de son père, l'avocat Heinrich Marx.

1841. Marx obtient le titre de docteur en philosophie à l'université d'Iéna.

1842. Il renonce à une carrière universitaire et s'engage dans le journalisme. Il s'installe à Bonn.

Début de sa collaboration à la *Rheinische Zeitung*, dont il devient le rédacteur en chef à partir d'octobre. Premiers contacts avec les idées socialistes et communistes. Première rencontre avec Friedrich Engels.

1843. Marx démissionne de la rédaction du journal, qui est interdit en mars. Il épouse Jenny von Westphalen, avec qui il s'installe à Paris. Découverte des milieux révolutionnaires et du prolétariat parisien.

1844. Parutions de *La Sainte Famille*, *À propos de la question juive*, *Contribution à la critique de la philosophie du droit de Hegel*. Il rencontre Bakounine, révolutionnaire anarchiste russe, et Proudhon.

1845. Expulsé de France par ordre de Guizot sur intervention de la Prusse, Marx s'établit à Bruxelles et entreprend des études économiques. Parution de *L'Idéologie allemande*.

1847. Premier Congrès de la Ligue des communistes à Londres. Marx est nommé président de la commune bruxelloise de la Ligue des communistes. Séjour à Londres, avec Engels, pour le deuxième Congrès de la Ligue où ils sont chargés de rédiger un manifeste.

1848. Parution à Londres du *Manifeste du parti communiste*, la veille de la révolution du 24 février. Expulsé de Belgique, Marx rejoint Paris puis Cologne, où il devient rédacteur en chef de la *Nouvelle Gazette rhénane* (*Neue Rheinische Zeitung*), organe démocratique révolutionnaire.

1849. Expulsé d'Allemagne, Marx se rend en France puis émigre à Londres. Parution de *Discours sur le libre-échange* et de *Travail salarié et Capital*.

1850. Parution de *Luttes de classes en France*.

1851. Marx devient correspondant pour l'Europe du *New York Daily Tribune*.

1852. Sur proposition de Marx, dissolution de la Ligue des communistes. Parution du *18 brumaire de Louis Bonaparte.*

1854. Marx, délégué d'honneur au Parlement du travail, est convoqué à Manchester par les chartistes.

1856. Publication d'une vingtaine d'articles dans le *New York Daily Tribune.*

1857. Rédaction des *Grundrisse.*

1859. Parution de *Contribution à la critique de l'économie politique.* Marx prend la direction de *Das Volk*, hebdomadaire allemand qui paraît à Londres.

1863. Mort de sa mère.

1864. Fondation, à Londres, de l'Association internationale des travailleurs (AIT) ; Marx est nommé secrétaire du conseil général. Parution du *Procès de production du capital.* Après seize ans de silence, Marx renoue avec Bakounine.

1865. Marx, avec Engels, se dresse contre le « socialisme gouvernemental », à tendance nationaliste, des lassalliens.

1866. Tous deux font campagne pour la cause de la Pologne. Le Congrès élit Marx au conseil général de l'AIT.

1867. Parution du livre I du *Capital*, à Hambourg.

1868. Mariage de Laura, fille de Marx, avec Paul Lafargue.

1870. L'AIT applaudit à l'avènement de la république en France, après la défaite du pays contre la Prusse. Parution de *La Guerre civile en France*. Luttes de tendances au sein de l'AIT entre Marx et Bakounine, représentant de la fraction anti-autoritaire.

1871. Proclamation de la Commune de Paris.

1872. Congrès de La Haye, qui entraîne l'éclatement de la première Internationale, dont le siège est transféré à New York. Bakounine est exclu de l'AIT. Parution en russe du *Manifeste communiste*.

1873. Malgré sa maladie, Marx continue de travailler aux livres II et III du *Capital* ; il étudie l'histoire économique et sociale de la Russie.

1875. À Gotha, congrès d'unification du socialisme allemand, qui réunit les lassalliens et les marxistes. Traduction française du livre I du *Capital*.

1876. Dissolution officielle de la première Internationale. Mort de Bakounine.

1880. Jules Guesde écrit, sous la dictée de Marx, les Considérants du programme du Parti ouvrier français. Succès du *Capital* en Russie.

1881. Marx et Jenny sont gravement malades. Jenny meurt le 2 décembre.

1883. Mort de Karl Marx le 14 mars.

1885 et 1894. Parution des livres II et III du *Capital*.

Repères bibliographiques

OUVRAGES DE KARL MARX

Pour se retrouver dans le maquis des différentes éditions et traductions de ses nombreux écrits, se reporter au travail monumental de Maximilien Rubel, qui a publié les *Œuvres de Marx* chez Gallimard, dans la collection de La Pléiade (1968-1994, 4 vol.).

- *Le 18 Brumaire de Louis Bonaparte*, Mille et une nuits, 1997 ; réédition 2005.
- *Du colonialisme en Asie : Inde, Perse, Afghanistan*, Mille et une nuits, 2002, avec des textes de Friedrich Engels.
- *La Guerre civile en France*, édition critique avec l'introduction d'Engels et les différents brouillons du manuscrit, Éditions sociales, 1972 ; Mille et une nuits, 2007.
- *L'Introduction à la Critique de la philosophie du droit de Hegel*, texte et commentaire d'Eustache Kouvélakis, Ellipses, 2000
- *Les Luttes des classes en France*, Gallimard, 2002.
- *Manifeste du Parti communiste*, Mille et une nuits, 1994.
- *Sur la Religion* (textes choisis), Éditions sociales, 1960, avec des textes de Friedrich Engels.

ÉTUDES SUR LA RELIGION CHEZ MARX

◆ BERTRAND (Michèle), *Le Statut de la religion chez Marx et Engels*, Éditions sociales, 1979.

◆ LABICA (Georges), article « Religion », dans le *Dictionnaire critique du Marxisme*, PUF, 1982.

◆ VERRET (Michel), *Les Marxistes et la religion*, Éditions sociales, 1965.

◆ WACKENHEIM (Charles), *La Faillite de la religion d'après Karl Marx*, PUF, 1963.

ÉTUDES SUR KARL MARX

◆ ALTHUSSER (Louis), *Pour Marx*, La Découverte, 1986.

◆ ASSOUN (Paul-Laurent), *Marx et la répétition historique*, PUF, 1978.

◆ ARRAU (Jacques), *Karl Marx ou l'esprit du monde : biographie*, Fayard, 2005.

◆ BALIBAR (Étienne), *La Philosophie de Marx*, La Découverte, 1993.

◆ BENSAÏD (Daniel), *Marx l'intempestif*, Fayard, 1995 ;
La Discordance des temps. Essais sur les crises, les classes, l'histoire, Éditions de la Passion, 1995.

◆ ELLENSTEIN (Jean), *Karl Marx, sa vie, son œuvre*, Fayard, 1981.

◆ HENRY (Michel), *Marx*, vol. 1 : *Une philosophie de la réalité* ;
vol. II : *Une philosophie de l'économie*, Gallimard, 1976.

◆ LEFÈBVRE (Henri), *Pour connaître la pensée de Karl Marx*, Bordas, 1966 (seconde édition augmentée).

◆ MEHRING (Franz), *Karl Marx. Histoire de sa vie*, Messidor, 1983.

◆ RUBEL (Maximilien), *Karl Marx. Essai de biographie intellectuelle*, Marcel Rivière et Cie, 1971 ;
Marx critique du marxisme, Payot, 1974.

◆ SÈVE (Lucien), *Une introduction à la philosophie marxiste*, Éditions sociales, 1980.

◆ THOMPSON (Edward Palmer), *The Poverty of Theory and Other Essays*, Monthly Review Press, 1978.
◆ VADÉE (Michel), *Marx penseur du possible*, Klincksieck, 1992.
◆ Dossier « Marx après le marxisme », *Magazine littéraire*, n° 324, septembre 1994.

Mille et une nuits propose des chefs-d'œuvre pour le temps
d'une attente, d'un voyage, d'une insomnie…

La Petite Collection (extrait du catalogue) 577. Cicéron, *Traité des
devoirs*. 578. Pierre-Joseph Proudhon / Émile Zola, *Controverse
sur Courbet et l'utilité sociale de l'art*. 579. Paul Achard, *La Queue*.
580. Voltaire / Rousseau, *Querelle sur le Mal et la Providence*.
581. Marie-Joseph Chénier, *Dénonciation des inquisiteurs de la
pensée*. 582. Auguste Rodin, *Faire avec ses mains ce que l'on voit*.
Textes, lettres et propos choisis. 583. Théophile Gautier, *Le Club
des Hachichins*. 584. Blaise Pascal / Jacqueline Pascal, *Les
Mystères de Jésus*. 585. Sébastien Bailly, *Les Zeugmes au plat*.
586. David Hume, *Essais sur le bonheur. Les Quatre Philosophes*.
587. Henri Roorda, *Le Rire et les Rieurs*. 588. Polyen, *L'Art du
mensonge. Ruses diplomatiques et stratagèmes politiques*. 589. Alain,
L'Instituteur et le Sorbonagre. 50 propos sur l'école de la République.
590. Josiah Warren, *Commerce équitable*. 597. Henri Roorda, *Le
Pédagogue n'aime pas les enfants*. 598. Émile Zola, *Lettres à la
jeunesse*. 599. Léon Tolstoï, *Un musicien déchu*. 600. Platon,
Euthyphron. 601. Aristophane, *Ploutos, dieu du fric*. 602. Jean-
Jacques Rousseau, *Deux lettres sur l'individu, la société et la vertu*.
603. Edgar Degas, *« Je veux regarder par le trou de la serrure »*.
604. Edmund Burke, *Lettre à un membre de l'Assemblée nationale
de France sur la Révolution française et Rousseau*. 605. Georges
Feydeau, *L'Hôtel du Libre Échange*. 606. Jean Grave, *Ce que nous
voulons et autres textes anarchistes*. 607. Hippolyte Taine,
Xénophon, l'Anabase. 608. Alfred Delvau, *Henry Murger et la
Bohème*. 609. David Hume, *La Règle du goût*. 610. Henri
Bergson, *Le Bon sens ou l'Esprit français*. 611. Polyen, *Ruses de
femmes*. 612. Henri Roorda, *À prendre ou à laisser. Le programme
de lecture du professeur d'optimisme.*

Pour chaque titre, le texte intégral, une postface,
la vie de l'auteur et une bibliographie.

42.40.0738.7/08
Achevé d'imprimer en avril 2017
par La Nouvelle Imprimerie Laballery (Clamecy, France).
N° d'impression : 703474